Illustrations : Chantal Cazin
Lettrines : Gilles Malgonne

Édition : A Cappella Création
Conception graphique : Nelly Charraud Gros
Mise en page : Gilles Malgonne

© Groupe Fleurus, Paris, 2004
Photogravure : Penez édition
Achevé d'imprimer en août 2005, en Chine par Holinail, Paris 11ᵉ
N° d'édition : 05120
Dépôt légal : novembre 2004
ISBN : 2-2150-4532-9

L'alphabet de

Noël

FLEURUS

comme...

Ange

Âne

Attente

Aujourd'hui, Alexandre ouvre la première
fenêtre de son calendrier de l'Avent.
Oh ! là là ! Toutes ces fenêtres encore fermées !
C'est long d'attendre Noël !

Baptiste

comme...

Bûche

Berger

Boule

Bonheur

Baptiste décore la maison avec Papa et Maman.
Des boules bleues sur le sapin,
des guirlandes blanches sur les fenêtres
et des bougies qui brillent sur la table.
Quel bonheur de préparer Noël !

Camille

comme...

Cheminée

Cadeau

Calendrier
de l'Avent

Crèche

Camille sort les santons de leur beau papier
de soie. Elle installe le berger, les moutons,
le bœuf, l'âne, Marie et Joseph.
« Regardez comme ma crèche est jolie ! »
dit Camille.

Delphine

D

comme...

Décorations

Dinde

Donner

« Choisis quelques-uns de tes jouets,
nous allons les donner pour les enfants
qui sont à l'hôpital à Noël »,
dit Maman à Delphine.
« Vite, emballons mes dominos et ma dînette ! »

Emma

comme...

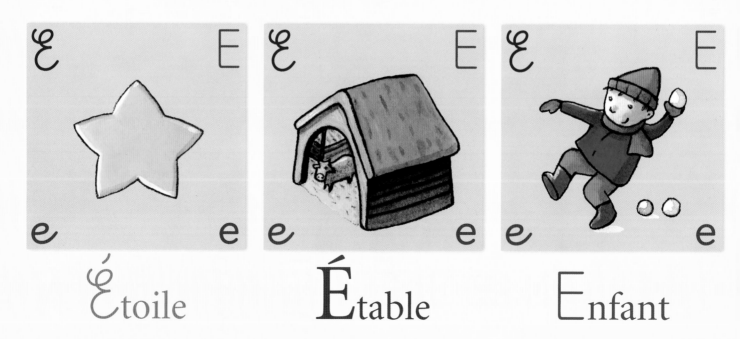

Étoile   Étable   Enfant

Espérer

Noël approche. Emma espère
qu'oncle Édouard et tante Elsa
pourront venir d'Espagne.
« Comme ça, on sera tous ensemble ! »

Florian

F

comme...

Flocon
de neige

Friandises

Famille

Florian est très content : pour Noël, Maman a invité cousine Francine, cousin Quentin, Papi Louis et Mamie Flavie. Toute la famille sera réunie. Quelle fête ce sera !

Guillaume

G

comme...

Guirlande

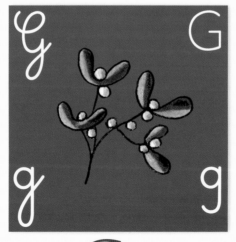

Gui

Galette
des rois

Générosité

Guillaume dit : « Et si nous faisions des gâteaux pour les offrir au vieux monsieur qui vit seul au dernier étage. Il va se régaler ! »
Maman répond : « Bonne idée Guillaume, c'est ça, être généreux avec les autres ! »

H ugo

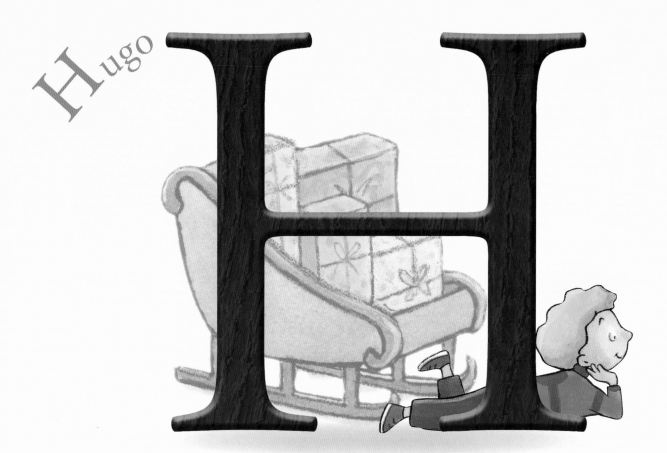

comme...

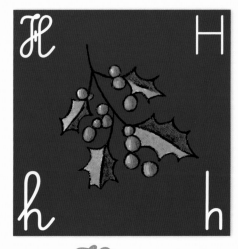

Houx

Hotte du père Noël

Histoires

Papa prend le grand livre de Noël.
Hugo est heureux : il sait que Papa lui racontera
une histoire tous les soirs pour attendre Noël.

I nès

comme...

Illuminations

Instruments
de musique

Impatience

Inès ne tient pas en place : un coup d'œil par la fenêtre, un regard dans la cheminée. Elle attend le père Noël avec impatience !

Julie   J K   Kevin

comme...

Jouets

Joseph

Jésus

Le soir de Noël, Julie et Kevin
contemplent la jolie crèche. Ça y est,
Maman a mis le petit Jésus dans la mangeoire.
Quelle joie, c'est vraiment Noël !

Léa

L

comme...

Lettre au
père Noël

Lutin

Lumières

Léa se promène avec tante Lucie
dans la ville éclairée de mille feux.
« Que c'est beau toutes ces lumières de Noël ! »

M anon

comme...

Marché
de Noël

Minuit

Marie

Messe de minuit

Manon va à la messe de minuit.
Une jolie musique l'accueille à l'entrée
de l'église : « Il est né le Divin Enfant… »

Nicolas

comme...

Nuit

Saint Nicolas

Noël

La nuit du 24 décembre,
Nicolas dit : « Papa, tu sais,
Noël c'est la fête de la naissance de Jésus ! »

Océane **O** **P** Paul

comme...

Oranges   Pain d'épice   Père Noël

Paix

Paul s'est disputé avec Océane.
« On fait la paix, propose Paul,
c'est bête d'être fâchés à Noël ! »

Quentin

Romane

Q R comme...

Quête

Renne

Rois mages

Repas

Tout le monde est réuni pour
le repas de Noël. Quentin
et Romane ont envie de tout goûter…
Quel festin de roi !

Sarah

comme...

Sapin

Sablés

Santons

Sourire

Il a neigé cette nuit. Sarah veut
prendre toute la famille
en photo dans le jardin.
« Faites-moi un beau sourire ! »

T

comme...

Truffes

Traîneau

Tendresse

Avant de dormir, Maman fait un
gros câlin à Thomas.
Comme c'est doux la tendresse
d'une Maman !

Ursule

Valentin

comme...

Vitrine de
Noël

Vœux

Veiller

Le soir de Noël, Ursule et Valentin veulent veiller très tard pour surprendre le père Noël. Mais… chut, ils se sont endormis !

William

Xavier

Yohan

Zoé

Le 25 décembre est enfin arrivé !

William, Xavier, Yohan et Zoé
s'écrient : « Youpi, c'est Noël ! »

A B C

G H I

N O P Q

U V W

D E F

J K L M

R S T

X Y Z